Photocopiable Workbook
Advanced Level Activities

Written by Stephen Glover

linguascope

Copyright Notice

Written Contents   Stephen Glover
Graphic Design   Linguascope
Publisher   Linguascope

Copyright © 2010 Linguascope
Published by Linguascope, 189 Colchester Road, West Bergholt, CO6 3JY (UK)
Telephone 01206 242473 • Fax: 01206 242262 •
Web site www.linguascope.com

Printed in the UK

ISBN 978-1-84795-110-6

Contents

AU REVOIR
LES ENFANTS

AU REVOIR LES ENFANTS

User guide

Contents
Workbook and PowerPoints*
- Reactions to film
- Summary with vocabulary and gapfill exercise
- Context and direct speech
- Character guide adjective practice
- Tensinator multi tense exercise
- The A Factor (including PowerPoints* for teaching passive, subjunctive and present participle)
- Essay writing guide

Objectives of materials
- To revise and build up verb usage with a variety of exercises
- To make the acquisition of vocabulary central to the learning process
- To enable teachers to concentrate on the more creative side of working with the film
- To provide guidance on the art of writing a topic essay on the film
- To give teachers very tangible, substantial pieces of language work to do which will practise a range of skills
- To encourage language learning amongst students using an approach which makes them realize they can achieve
- To provide a solid bank of linguistic and cultural content

Suggested ways of approaching the teaching of a film

Initial steps
- Purchase the film in the French version with French subtitles available on it for the deaf. *
- Purchase the script (scénario) for the film if it is available. *
- Watch the film a couple of times including with subtitles and pick out what themes come out of it for you. (Compare with the themes I've identified if you wish).
- Break the film down into logical parts - if you are going to keep stopping the film you are only going to get through 20 minutes or so per lesson, so be realistic.
- Split the summary up to reflect the parts you are dividing it into.

Where there is a context with which the students may not be familiar, you may need to do an introduction.

(* Additional material including PowerPoint presentations, answers and links about the film can be found at www.linguascope.com/films)

© **linguascope** http://www.linguascope.com

Viewing and exploiting the film

Lesson one (assuming hour lessons)

Teach the class how to express initial reactions in an interesting way using the worksheet on reactions if desired. *Ce qui m'a frappé la première fois que j'ai vu le film…* That initial reaction could easily be lost - this is why using 20 minutes of film per lesson will allow you to build up this language.

After showing the 20 minutes or so of film maybe stopping it periodically to ask questions or point out something, you may wish to run quickly through the film summary using maybe the present tense narrative which is frequently the one used for discussing film. Students may be asked to complete the sentences for homework although make sure they are referred to a grammar section/book where they can double check verb forms.

Lesson two

Briefly run through the previously viewed part of the film on x4, pausing just before key events, asking what is going to happen - or just after an event to ask what has happened or just happened. Begin to probe more deeply by asking why, or what aspect of a theme the event demonstrates. By now the students will have the language to do this. On second viewing students could begin noting how particular themes are illustrated.

Lesson three - five

Repeat this process as you work through the film. If knowledge of the present tense seems secure, subsequent use of the summary could move through to perfect/imperfect or practising subordinate clauses using combinations of *après avoir, avant de, en ...... -ant, ce qui, ce que, subjunctive etc.*

Lessons six/seven

By now knowledge of the events of the film should be fairly secure and attention can be turned to building up a picture of the different characters in the film using the character study worksheet which asks students to look at relevant adjectives which might describe particular people.

This is a good opportunity to revise different types of adjectives, agreement and positioning as well as some more sophisticated constructions in which they can be used. There are translation exercises from French to English and English to French on which students can base their own interpretation of the film's characters and motives.

Lesson eight/nine

Using the notes they have made on themes and character students should be given different themes from the film to present. These should ideally be around the key expectations of the examinations for average students although more idiosyncratic and challenging ideas could be presented by the more able. Students could record these initially - you could talk them through the recording saying how their performance matches up to the oral criteria and how to improve (or use French assistant for this).

Lesson ten/eleven

Work through the Tensinator exercise/A factor to ensure that students are aware of how the different tenses relate to each other. You might practise these again with the summary or go back through some key scenes with a particular focus such as saying what you would have done in particular circumstances.

Lesson twelve

An important final activity would be for students to analyse the types of shots and effects being used in the relevant film. Students could choose five of their favourite scenes and discuss the way in which it has been put together by the director.

See links (www.linguascope.com/films) to online materials on techniques.

Lesson thirteen/fourteen

Following on from work on planning a short 200 word essay, more serious work can be introduced on how to plan a slightly longer essay. The essay writing guide is designed to highlight the need for planning carefully. Impress on the students the level of detail required to write a good answer.

All the key points regarding brain storming into a spider diagram, ordering paragraphs and how to put in an introduction and conclusion are addressed.

Themes and Links

Essay titles
• Tracez le développement de l'amitié de Jean et de Julien.
• Le comportement des enfants dans le film est-il vraisemblable ?
• Lequel des personnages - Julien ou Jean - est le plus convaincant ?
• Quel est votre opinion du père Jean et de sa décision d'essayer de sauver les jeunes juifs ?
• Qu'est-ce qu'on apprend de la vie des Français sous l'occupation allemande?

Themes
• les souffrances de la population pendant l'occupation
• les lois anti-israélites (sémites) pendant l'occupation
• la résistance contre l'occupant nazi
• la vie quotidienne sous l'occupation
• l'égoisme ou le courage
• la nature de l'amitié
• la manière dont on présente l'adolescence
• l'influence d'un évènement tragique sur la vie d'un individu
• le modèle pédagogique des internats catholiques

Learning to talk about a film

Giving your first impressions is very important. After you have seen a film a few times you tend to forget the original feelings you had. Make notes using these constructions.

Ce qui/ce que constructions

- Ce qui m'a étonné /choqué au début du film, c'était ...

- Ce qui m'a impressionné/amusé alors que le film a progressé, c'est ...

- Ce qui m'a ému dans la scène entre .... et ....

- Ce que j'ai trouvé très amusant/impressionant au début ...

- Ce que j'ai appris en regardant le film c'est que ...

- Ce que j'ai ressenti comme émotion au début/dans la scène ...

Passive constructions

- J'ai été très impressionné(e) par la manière dont ...

- J'ai été ému(e)/touché(e) par la scène vers la fin où ...

- J'ai été très choqué(e)/surpris(e) de voir que le personnage de ...

The summary of events in the film is designed to help you.

Learn the content of the film after/whilst watching it.
Practise your verbs in a range of tenses. Try completing the verbs in brackets...

      a) in the present tense.

      b) using a combination of the perfect and imperfect tenses.

You need to go on from this knowledge of the basic plot to look at the themes of the film.

Sommaire des évènements

Julien et sa mère [se dire] au revoir à la gare à Paris.

Julien [retourner] à l'internat après les vacances de Noël et [faire] semblant de détester sa mère.

> L'internat • the boarding school
> Faire semblant de • pretend

François son frère [arriver] en fumant une cigarette de maïs. Il [aller] manquer à sa mère.

> En fumant • smoking
> Manquer • to miss

L'internat [se trouver] dans une petite ville à la campagne.

Les enfants [aller] à l'école en chantant.

> En chantant • singing

Arrivés à l'école les enfants [s'installer] dans leur dortoir.

Un ami de Julien [prendre] un pot de confiture du marché noir.

> S'installer • to settle
> Le marché noir • the black market

Les frères [arriver] avec trois garçons inconnus dont un [venir] dans le dortoir de Julien. Il [s'appeler] Jean Bonnet. Tout le monde le [taquiner] au début.

> Dont • of whom
> Inconnu • unknown
> Taquiner • to tease

Bonnet [être] aimable dès le début mais Julien [essayer] de rester distant. Les lumières [s'éteindre] à cause d'une coupure du courant.

> S'éteindre • go out (of light)
> Une coupure du courant • a power cut

Bonnet [regarder] au tour de lui, curieux.

Les jeunes [être] assez turbulents alors qu'ils [faire] leur toilette.

> Turbulent • boisterous

Un des garçons [s'évanouir] parce qu'il [avoir] faim pendant la messe.

> S'évanouir • to faint
> La messe • the mass

Pendant le cours de français le prof [poser] des questions à Julien au sujet de Charles Péguy, auteur catholique et puis à Bonnet.

> Au sujet de • about

Julien [se percer] la main avec un compas pendant que la classe [travailler].

> Se percer • to cut oneself

Pendant la récréation les garçons [jouer] au foot sur des échasses.

> Une échasse • a stilt

On [martyriser] Bonnet pendant que d'autres [fumer] dans le coin. Les garçons [lutter] sur échasses comme à un tournois. Cela [devenir] un peu violent. Julien [demander] à Bonnet si le nom Négus est le véritable nom d'un des nouveaux venus.

> Martyriser • to bully
> Lutter • to fight
> Un tournois • a tournament
> Véritable • real

Julien [se faire] soigner au genou pendant que Joseph l'aide cuisinier [faire] du marché noir avec un des élèves.

> Se faire soigner • to get cared for

Julien [vouloir] échanger sa confiture contre des timbres.	Echanger • to exchange
A l'heure du déjeuner on [se plaindre] que le pain [contenir] de la paille et le directeur [prévenir] ceux qui [avoir] des provisions qu'ils [devoir] les partager.	Se plaindre • to complain La paille • the straw Prévenir • to warn
Jean ne [prendre] pas de porc.	
L'ambiance de la cantine [paraître] assez décontractée.	L'ambiance • the atmosphere Décontracté • relaxed
On [distribuer] des biscuits vitaminés à la fin du repas. Un garçon [lécher] le biscuit de Bonnet et Julien lui en [proposer] un autre qu'il [refuser].	
Les garçons [martyriser] Joseph.	
On [voir] les trois amis juifs causer ensemble, parlant de comment ils [se débrouiller] en classe.	Causer • to chat Se débrouiller • to manager, cope
Joseph [donner] à manger aux porcs. Julien [s'approcher] pour faire du troc. Joseph [essayer] de lui emprunter de l'argent pour sa « fiancée ».	Faire du troc • to do a swap Emprunter • to borrow
Il [geler] en classe et tout le monde [porter] des vêtements chauds. En maths Bonnet [montrer] à tout le monde comment faire un calcul d'algèbre.	Geler • to freeze Montrer • to show
Quand une alerte [sonner] tout le monde [descendre] à l'abri dans la cave. Bonnet [irriter] Julien de nouveau. On [entendre] une bombe exploser. Pendant que les autres [prier], Bonnet [rester] silencieux.	Une alerte • an air raid siren De nouveau • again Exploser • to blow up
On [continuer] à se moquer de Bonnet mais Julien [faire] pipi au lit pendant la nuit à cause du froid.	Se moquer • to mock
Mme Davenne, la prof de musique [arriver] en vélo pendant que les jeunes [faire] de la gymnastique. Julien [avoir] un cours de piano avec elle. Elle [s'ennuyer]. Il [rester] pour écouter quand Bonnet [arriver] pour sa leçon. Il [se rendre] compte qu'il est très doué et il [être] jaloux de lui.	Se rendre compte • to realize Doué • gifted Jaloux • jealous
Bonnet [laisser] tomber une lettre de sa famille en classe; les autres garçons la [prendre]. Elle [finit] dans les mains de Julien qui la [rendre] alors qu'il [aller] se confesser.	Laisser tomber • to drop Rendre • to return, give back Se confesser • to go to confession
A la confession le père [examiner] les genoux de Julien qui lui [faire] mal. Il le [décourager] également de se faire prêtre.	Également • also Prêtre • priest
Le père [recevoir] un coup de téléphone que Julien [trouver] soupçonneux. Après le coup de fil le père demande à Julien d'être gentil avec Bonnet.	Soupçonneux • suspicious Un coup de fil/téléphone • phone call
Les enfants [discuter] au sujet de Pétain et de Laval, les hommes d'état collaborationistes. Julien [commencer] à se lier d'amitié avec Bonnet en parlant de l'avenir.	Pétain • former hero of Verdun and after defeat of France « saviour » of France running collaborationist government Se lier d'amitié • to make friends Un homme d'état • a statesman

Ils [vont] dans les bains-douches publics qui [sont] interdits aux juifs. Des soldats allemands s'en [servir] quand ils [entrer] ce qui [faire] peur à Bonnet.

Être-interdit • to be forbidden
Se servir de • to use
Faire peur à • to frighten

Les garçons [demander] à Bonnet sa religion. Il [dire] qu'il est protestant.

Julien [se baigner] tranquillement et puis [faire] semblant de se noyer.

Se baigner • to take a bath
Se noyer • to drown

Un homme juif avec l'étoile jaune [sortir] des bains ce qui [choquer] un des garçons.

L'étoile jaune • worn by all Jews in war time
Choquer • to shock

Julien [se réveiller] et [voir] Bonnet en train de prier. Bonnet le [remarquer].

En train de • in the process of
Remarquer • to notice

Pendant que les enfants [faire] de la gymnastique dans la cour un groupe de miliciens français [entrer]. Ils [vouloir] perquisitionner le bâtiment. On [cacher] vite les trois juifs ce que Julien [remarquer] avec intérêt.

Un milicien • military police made up of French collaborators, hated by the general population
Perquisitionner • to search a house
Cacher • to hide

Julien [demander] à Joseph qui ils [chercher]. Ce [être] des réfractaires qu'ils [vouloir] trouver. On [ramener] Bonnet en classe ; maintenant Julien [comprendre] la situation.

Un réfractaire • draft dodger
Ramener • to bring back

Le courrier [arriver] et Julien [lire] la lettre de sa mère qui [contenir] beaucoup de nouvelles.

Le courrier • the mail
Contenir • to contain

Julien [fouiller] dans le casier de Bonnet et [découvrir] son vrai nom, Kippelstein, un nom juif.

Fouiller • to search around in
Le casier • the locker

Julien [interroger] Jean qui [devenir] mal à l'aise.

Mal à l'aise • ill at ease

Le frère de Julien lui [demander] de passer un message à Mme Davenne.

Julien [demander] à son frère ce qu'est un juif et pourquoi on les [haïr]. Il lui [donner] des raisons traditionelles.

Une raison • a reason
Haïr • to hate

On [malmener] de nouveau Joseph dans la cour. On le [martyriser] vraiment.

Malmener • to handle roughly

Les scouts dont Julien et Bonnet [être] membres [aller] dans les bois participer à un jeu d'aventure. Julien [penser] à la mort, le seul à son avis, ce qui est ironique.

Les bois • the woods
Le seul • the only one

Les autres scouts [finir] par chasser Julien et Bonnet qui [terminer] isolés et seuls à la tombée de la nuit. Ils [se retrouver] après que Julien a trouvé le trésor. Bonnet [avoir] très peur.

Ils [essayer] de sortir de la forêt et [finir] par croiser deux soldats allemands en jeep. Ils [fuir] mais les Allemands les [rattraper] et les [ramener] au couvent.

Finir par (+ infin) • to end up
Croiser • to come across
Fuir • to flee
Rattraper • to catch

Le père [se fâcher] avec les deux. Les Allemands [rappeler] au père que la forêt [être] interdite aux civils après 8 heures du soir - le couvre-feu.

Se fâcher • to get annoyed	
Rappeler • to remind	
Le couvre-feu • the curfew	

On [envoyer] les deux garçons à l'infirmerie pour récupérer. Quand les copains [arriver] Julien [exagérer] leurs exploits dans la forêt. Son frère lui [apporter] des cadeaux.

Envoyer • to send
Apporter • to bring

Bonnet [attraper] une mouche et le [tuer].

Une mouche • a fly

Les deux [se battre] quand Julien [révèle] qu'il [savoir] sa vraie identité.

Se battre • to fight

Les garçons [mettre] leurs meilleurs vêtements parce que les parents [venir]. Le jour [commencer] par une messe dans la chapelle.

Mettre • to put on

Le père [prêcher] contre l'égoïsme et [dire] que les parents [devoir] faire davantage pour aider les autres. Un des parents [sortir] fâché par les paroles du père. Ils [prier] pour les victimes ainsi que pour leurs bourreaux.

Prêcher • to preach
Davantage • more
Une parole • a spoken word
Un bourreau • a persecutor

Bonnet [surprendre] les autres juifs en allant prendre la communion mais le père ne la lui [donner] pas.

Surprendre • to surprise
En allant • by going

Dans la cour les garçons [accuser] Bonnet d'être un hérétique et lui et Julien [commencer] à se battre.

Hérétique • person not sharing catholic values

La mère de Julien les [interrompre] et [inviter] Bonner à venir avec eux au restaurant.

Interrompre • to interrupt, to stop

Ils [aller] tous ensemble au restaurant où il [falloir] utiliser les coupons de rationnement. On [servir] du lapin avec pommes de terre sautées.

Un coupon de rationnement • a rationing coupon
Servir • to serve
Le lapin • the rabbit

Des Allemands [dîner] dans le restaurant ainsi qu'un vieux monsieur juif. On [parler] du pétainisme .

Ainsi que • as well as
Le pétainisme • regime run by Pétain aiming to get French people more fired up

La mère [s'intéresser] au nom de famille de Bonnet et lui [poser] beaucoup de questions.

S'intéresser à • to be interested in

Des miliciens [entrer] dans le restaurant pour contrôler les papiers d'identité et un d'entre eux [insulter] le vieux monsieur et [essayer] de le mettre à la porte. Le frère de Julien [traiter] les miliciens de collaborateurs et le restaurant [commencer] à devenir agité.

Un d'entre eux • one of them
Mettre à la porte • to throw out
Traiter de • to call someone something
Agité • excited

Les Allemands [finir] par mettre les miliciens à la porte. Bonnet [regarder] fixement le vieux monsieur juif conscient de leur sort commun.

Regarder fixement • to stare at
Conscient • conscious
Le sort • fate

François [se demander] si leur famille est juive ce que la mère [nier].

Se demander • to wonder
Nier • to deny

11

En retournant à l'école François [donner] de fausses directions à des soldats allemands. Puis il [dire] qu'il [vouloir] partir au maquis (la résistance).

Faux/fausse • wrong

Le maquis • young French people increasingly hid in the forest and joined the resistance movement to avoid going as slave labour to Germany

Julien pourtant [vouloir] toujours travailler comme missionaire au Congo. Joseph [se brouiller] avec sa maîtresse Fernande. Frédéric [dire] que Julien est trop sentimental pour vivre sans femme. Ils [se battre].

Se brouiller • to row with

Se battre • to fight

Julien [proposer] de rentrer à Paris avec sa mère mais il [savoir] que ce n'est pas possible. Bonnet le [consoler] quand il [rentrer].

Proposer • to suggest

A l'internat on [passer] un film de Charlot. Après avoir mangé de la confiture ensemble Bonnet et Julien [regarder] le film qu'ils [trouver] hilarant. Mme Devenne [jouer] du piano pendant que François [tourner] la page et [flirter] avec elle. Ceci [montrer] qu'on [pouvoir] s'amuser et se détendre pendant une guerre.

Passer • to show

Hilarant • hilarious

Se détendre • to relax

Julien [faire] pipi au lit de nouveau et [se réveiller]. Quand les autres [se moquer] de lui, Bonnet le [défendre].

Faire pipi au lit • to wet the bed

Défendre • to defend

Lorsqu'ils [jouer] aux échasses, la cuisinière [chasser] Joseph hors de la cuisine l'accusant de vol.

Hors • out

Le vol • the theft

Joseph [trafiquer] de la nourriture au marché noir et il [impliquer] d'autres enfants y compris Frédéric et Julien. Le père [accuser] les enfants de ne pas partager. Frédéric [dire] qu'il [échanger] de la nourriture contre des cigarettes ce qui ne [plaire] pas au père.

Trafiquer • to traffic

La nourriture • the food

Impliquer • to implicate (involve)

Partager • to share

Plaire • to please

Il [renvoyer] Joseph et [priver] les garçons de sortie.

Priver de sortie • to gate

Le chœur [chanter] dans la chapelle avec Melle Devenne et Bonnet [se cacher].

Se cacher • to hide

Plus tard Bonnet et Julien [jouer] du jazz très gai dans la salle de musique. Ils [s'amuser] très bien ensemble. L'alerte [sonner] mais ils [rester] là à jouer au lieu de descendre dans l'abri.

Au lieu de • in stead of

L'abri • the shelter

Quand ils [sortir] de la salle de musique ils [parler] de l'avenir. Bonnet [dire] qu'il [avoir] toujours peur.

L'avenir • the future

Ils [aller] dans la cuisine et [se cacher] quand Joseph y [entre] pour chercher des affaires.

Une affaire • a thing, personal effect

Ce soir-là les garçons [lire] un conte très sensuel des 1001 nuits à la lumière d'une torche électrique.

Un conte • a tale

Un des profs [montrer] à sa classe le progrès des Russes contre les Allemands ce qui [réjouir] Bonnet.

Réjouir • to delight

Sagard [sortir] pour aller au WC mais un soldat allemand l'[obliger] à retourner à sa place. D'autres Allemands y compris un officier de la Gestapo, le Docteur Müller, [entrer] dans la salle de classe.

Obliger • to force
Y compris • including
La Gestapo • German secret police

Il [réclamer] Jean Kippelstein mais personne ne [répondre]. Julien [se tourner] accidentellement et [regarder] Bonnet ce qui le [trahir] en alertant l'Allemand. Bonnet [ranger] ses affaires et [sortir].

Réclamer • demand
Trahir • to betray
Ranger • to tidy away

Bonnet [donner] la main à ses camarades avant de sortir. Le Docteur Müller [dire] que cacher un juif est un crime grave. Il [fermer] le collège et on [arrêter] le père Jean. Le père Michel [expliquer] la vérité au sujet des trois garçons juifs.

Donner la main à • to shake hands with
Arrêter • to arrest
Expliquer • to explain
La vérité • the truth

Dans le dortoir le bruit [courir] que Négus est toujours en liberté. Bonnet [revenir] avec un soldat pour faire sa valise. Il [offrir] des livres à Julien.

Le bruit • the rumour
Faire sa valise • to pack his case
Offrir • to give

Julien [apporter] le sac d'un ami malade à l'infirmerie. Le surveillant [essayer] de cacher Négus. L'infirmière ne [vouloir] pas aider de peur d'être arrêté.

Apporter • bring
Le surveillant • assistant teacher

Un des soldats [obliger] Julien à baisser sa culotte pour vérifier s'il [être] circoncis ou non. L'infirmière [dire] où Negus [se trouver]. Ils [finir] par l'emmener.

Baisser sa culotte • to drop his trousers
Vérifier • to check
Circoncis • circumcised

En sortant Julien [voir] Joseph habillé en manteau chic avec un agent de Gestapo. Julien le [regarder] fixement ne pouvant pas croire ce que Joseph a fait. Il [reculer] avec horreur. Il est évident que Joseph [se sentir] coupable.

Chic • smart
Reculer • to move back, withdraw
Evident • obvious
Se sentir coupable • to feel guilty

Tout le monde [se rassembler] dans la cour pour un dernier appel. Les Allemands [essayer] de trouver d'autres juifs parmi eux.

Se rassembler • to gather
L'appel • the roll call

L'officier de Gestapo [faire] un discours à tout le monde disant que Français et Allemands [être] amis.

Un discours • a speech

Lorsque la cloche [sonner] le père Jean [sortir] avec les juifs accompagné par des soldats allemands. Le père Jean [prononcer] les paroles « Au revoir les enfants » en quittant la cour.

La cloche • the bell

Julien [saluer] Bonnet comme il [sortir] et on la caméra [demeurer] longtemps sur son visage.

Demeurer • to remain

Reported Speech

Identifiez quelle bulle correspond à quel personnage dans la case à droite.

Comment tu t'appelles ?

Si on me cherche on me trouve.

Il m'énerve, ce type.

Tu n'as pas 50 balles à me prêter ?

Nous allons descendre dans l'abri.

Tu devrais essayer le violon.

Soyez très gentil avec lui.

François, qu'est-ce que c'est, un youpin ?

Vous n'avez pas entendu parler du couvre-feu ?

Nous devons nous garder d'égoïsme.

Je ne peux pas le mettre à la porte.

Tu as peur ?

Lequel d'entre vous s'appelle Jean Kippelstein ?

Baisse ta culotte.

----

1. Le père Jean quand Julien se confesse

2. Julien à son frère

3. Le père Jean aux parents

4. Le professeur quand il y a une alerte

5. Julien quand il parle à Jean pour la première fois

6. La prof de musique, Mademoiselle Devenne

7. Le soldat allemand qui ramène les garcons

8. Le soldat allemand à Julien

9. Le docteur Müller

10. Joseph à Julien

11. Julien à Jean vers la fin du film

12. Le serveur dans le restaurant

13. Julien à propos de Jean quand il refuse un biscuit

© linguascope http://www.linguascope.com

Using the exact words from the script of the film complete using reported speech the sentences in the rectangles.

Exemple:

Comment tu t'appelles ?

Jean Bonnet demande à Jean comment il s'appelle.

Julien dit à Jean que _

Si on me cherche on me trouve.

Il m'énerve, ce type.

Julien dit à un autre élève que Jean _

Joseph demande à Julien s' _

Tu n'as pas 50 balles à me prêter ?

Nous allons descendre dans l'abri.

Le prof dit aux enfants qu' _

Mademoiselle Devenne la prof de musique dit à Julien qu' _

Tu devrais essayer le violon.

Soyez très gentil avec lui.

Le père Jean dit à Julien d' _

Julien demande à son frère ce _ _ _ _ _ _ _ _ _ _ _ _ _ _ _ _

_ _

François, qu'est-ce que c'est, un youpin ?

Vous n'avez pas entendu parler du couvre-feu ?

Le soldat demande au moine s' _ _ _ _ _ _ _ _ _ _ _ _ _ _ _ _ _

_ _

Le père Jean dit aux parents et à leurs enfants qu'ils

_ _

Nous devons nous garder d'égoïsme.

Je ne peux pas le mettre à la porte.

Le serveur de restaurant dit au milicien qu' _ _ _ _ _ _ _ _ _

_ _

Lors de l'alerte quand ils sont dehors Julien demande à

Jean s' _

Tu as peur ?

Lequel d'entre vous s'appelle Jean Kippelstein ?

Le docteur Müller de la Gestapo demande _ _ _ _ _ _ _ _ _ _

_ _

Le soldat allemand dans l'infirmerie dit à Julien de

_ _

Baisse ta culotte.

AU REVOIR LES ENFANTS

Adjectifs qui décrivent le caractère

Traduisez les adjectifs en anglais et puis trouvez l'antonyme

Agressif/ive

Aimable

Calme

Casanier/ière

Charitable

Charmant/e

Curieux/euse

Décontracté/e

Dévot/e

Drôle

Effronté/e

Energique

Fidèle

Impulsif/ive

Laxiste

Méfiant/e

Modeste

Musicien/ienne

Naïf/naïve

Névrosé/e

Obéissant

Peureux/peureuse

Préoccupé/e

Querelleur/euse

Sentimental

Sérieux/sérieuse

Sportif/ive

Talentueux/euse

Tenace

Turbulent/e

17

Comment parler du caractère de quelqu'un - Traduisez les phrases en anglais

On découvre/se rend compte/apprend/voit que Julien est névrosé quand Il fait pipi au lit.

Le père Jean révèle/nous fait voir/montre qu'il est très patriotique en acceptant d'accueillir les trois juifs à l'internat.

Au début du film on a l'impression que Jean est une personne très sérieuse, pourtant alors que le film progresse on voit que c'est un garçon qui aime sourire et s'amuser surtout quand il finit par se lier d'amitié avec Julien.

La manière dont Julien pose des questions curieuses nous révèle qu'il s'intéresse à la situation de Jean.

Quand/Lorsque Julien demande à Jean s'il a peur, il est évident qu'il est peureux tout le temps, inquiet qu'il va être arrêté.

D'une part Julien paraît très sûr de lui, d'autre part sa mère et la vie de Paris lui manquent beaucoup.

Bien qu'il soit assez naïf à l'égard du sort des juifs, Julien se rend compte que la vie de Jean est en danger.

Faites vos propres exemples de phrases parlant des traits de caractère de Jean et de Julien

Qu'est-ce que ces observations nous apprennent du caractère des protagonistes ?

Julien ne veut pas quitter sa mére au début du film et le jour où elle vient le voir.

Julien et Jean passent beaucoup de temps à lire les Contes des mille et une nuits.

Julien fait des farces devant tout le monde à l'heure du dîner.

Julien lit la lettre de Jean qui est tombée par terre.

Jean donne ses livres à Julien avant de partir, malgré le fait que c'est le regard de Julien qui l'a trahi.

Le frère de Julien, François, dit qu'il va devenir résistant.

Traduisez ces phrases en français

At the start of the film Julien is quite cold and distant. As the film progresses he makes friends with Jean.

Although Jean is very intellectual it is obvious that he is sporty and musical and likes to enjoy himself.

Father John is very devoted, wanting to encourage children and parents to help people less fortunate people than themselves.

When Jean leaves the school with the Germans, Julien is devastated because he has lost a friend and doesn't know what his fate will be.

the Tensinator

Translate the sentences for each tense into English. Make sure you understand how the tense is made up, then create your own examples using a range of regular and irregular verbs.

Pluperfect

Parce qu'il avait caché des juifs le père Jean risquait la mort.
Parce qu'il s'était fâché contre Jean, Julien avait honte.

Perfect

Julien a caché de la confiture dans son casier.
Jean a fâché Julien en refusant un biscuit vitaminé

Imperfect

Pendant la guerre plusieurs lycées cachaient des enfants juifs des autorités.
Joseph se fâchait souvent avec les lycéens parce qu'ils le martyrisaient.

© linguascope http://www.linguascope.com

Present

Les frères religieux cachent un groupe de jeunes juifs dans l'internat.

Julien se fâche contre Jean parce qu'il ne comprend pas sa situation au début.

Future

Nos amis nous cacheront dans leur grenier jusqu'à la fin de la guerre.

Je ne me fâcherai plus contre Jean. Il est à plaindre.

Conditional

Si nous avions de la place, nous cacherions nos amis juifs mais nous n'en avons pas.

Je me fâcherais si je voyais quelqu'un insulter un ami juif.

Conditional Perfect

Si la religieuse avait été plus courageuse elle aurait caché Négus.

Si Julien avait été plus au courant de la situation de Jean, il serait moins fâché contre lui.

The « A » Factor

What is the A factor ?

To have the A factor you need to be able to show off your talents on the oral and essay stage with a range of grammar and constructions which will knock the judges', er markers' socks off. The good news is that a lot of the language you can use is really quite straight forward. Practise this language in context and you're winning through to the next round-no problem.

Present participle   en ....ant

If you are telling part of the story to illustrate a point it is good practice to use the present participle to vary the style of your speech or writing. In the first example it means "smoking a cigarette". In the second example it means "by smoking a cigarette".

The present participle is made from the nous part of the present tense, minus the -ons ending with an -ant added.   There are of course irregulars but not too many (être- étant / savoir - sachant).

---

1. François le frère de Julien arrive au dernier moment. Il fume une cigarette.

François arrive au dernier moment pour le départ du train en fumant une cigarette.

2. Le frère de Julien essaye de faire cool donc il fume une cigarette.

Le frère de Julien essaye de faire cool en fumant une cigarette.

Les enfants chantent alors qu'ils vont à l'école.

Les enfants vont à l'école en ....

2. Lorsqu'il arrive dans le dortoir Bonnet met ses affaires dans un casier.

En ....

3. Les lycéens martyrisent Bonnet. Ils lui lancent des injures

Les lycéens martyrisent Bonnet en ....

4. On essaye d'aider les jeunes à rester en forme. On leur distribue des biscuits vitaminés.

On essaye d'aider les jeunes à rester en forme en ....

5. Quand il entre dans les bains-douches le jeune juif met sa vie en danger.

En ....

6. Bonnet nie sa religion quand il dit qu'il est protestant.

Bonnet nie sa religion en ....

Passive voice

The passive varies the emphasis of a sentence:

« La moitié nord de la France a été occupée par les Allemands dès juin 1940. »

The northern half of France was occupied by the Germans from June 1940.

The other way round would be:

« Les Allemands ont occupé la moitié nord de la France dès juin 1940. »

In the first sentence, the passive one, the focus of the attention is the northern half of France whereas in the second it is on the Germans.

How is the passive made? Simple! The appropriate part of the verb être is used in whatever tense and the active verb is put into the past participle with agreement for gender (e) and/or plural (s). See the PowerPoint.

Convert the following events in the film into the passive

1. Un moine accompagne les enfants de la gare jusqu'à l'école.

Les enfants sont ....

And try it in the perfect

Les enfants ont été ....

2. Le père Jean cache trois jeunes juifs dans l'internat pour les protéger des Allemands.

Trois jeunes juifs ....

Perfect

Trois jeunes juifs ont été ....

3. On sonne l'alerte à chaque fois que des bombardiers arrivent.

L'alerte ....

4. On ramasse la lettre de la mère et on la passe autour de la classe.

La lettre de la mère ....

5. Un groupe de miliciens perquisitionne l'internat pour essayer de trouver des réfractaires.

L'internet est ....

6. Julien trahit Jean quand il se retourne et le regarde.

Jean ....

7. Au restaurant on remplace le poulet ou le steak par du lapin.

Au restaurant le poulet ou le steak ....

8. Joseph implique plusieurs lycéens quand on l'accuse de vol.

Plusieurs lycéens ....

9. Un Allemand oblige Sagard à retourner dans la salle de classe quand il va aux toilettes.

Sagard ....

Subjunctive

Using the subjunctive in all its various subtleties can take years of study and gradual understanding of its finer points. However, all students can manage some of the more common usages, although you should beware of "getting it in" just for the sake of it.

Two of the more common usages of the subjunctive mood are following

Il faut que and **Vouloir que**

To form the subjunctive is not difficult. Take the third person plural (ils) of the present tense. Remove the ending and add   Je -e   Tu -es   il/elle/on -e,   nous -ions   vous -iez   ils/elles -ent Unfortunately this means that when you use the subjunctive of some verbs you can actually tell the difference in the case of er verbs for instance.

Il faut que tu manges - You have to eat

Je veux qu'ils réparent la voiture I want them to repair the car

In regular -re verbs you can tell it's being used:

Je veux que tu attendes - I want you to wait

The more common irregular verbs have quite different forms from which the subjunctive is built

Être - je sois, tu sois, il/elle/on soit, nous soyons, vous soyez, ils/elles soient

Faire - je fasse, tu fasses, il/elle/on fasse, nous fassions, vous fassiez, ils/elles fassent

Vouloir que - to want someone to do something (change of subject)

1. Le père Jean veut que les enfants (être) généreux envers les autres.

2. Les Allemands dans le restaurant veulent que les miliciens français (faire) moins de bruit.

3. Julien est très curieux et veut que Jean lui (dire) la vérité sur son identité.

4. Le prof de maths veut que les enfants (savoir) ce que font les Alliés et les Russes en mettant des drapeaux sur une carte du monde.

Il faut que - it is necessary (for something to happen)

5. Il faut que les enfants (mettre) leur nourriture personnelle au service de tout le monde.

6. Quand il y a une alerte il faut que tout le monde (descendre) dans la cave pour continuer les leçons.

7. Il faut que le petit groupe de juifs (partir) avec les Allemands.

8. Il faut que les Français (faire) du marché noir pour pouvoir survivre.

And one for good luck **pour que** - in order that/ so that

9. Le père Jean dit à Julien d'être gentil avec Jean pour qu'il (être) plus accueillant envers le jeune juif.

10. Le père Jean critique certains parents pour qu'ils (être) plus généreux envers les pauvres.

11. La religieuse indique le lit du garçon qui se cache pour que le soldat allemand (savoir) que c'est lui le juif.

12. Les moines passent un film de Charlot pour que les enfants (pouvoir) oublier la guerre pour au moins une soirée.

Essay Plan

Essay **title**: Write this down and underline the key words and phrases. Keep referring to it.
Analysez les sentiments anti-sémites du film.

Point A
• Milice (organisation qui collabore avec les Allemands) - viennent contrôler le restaurant - attitude très méprisante envers le vieux monsieur.
• Le tutoient (utilisent tu au lieu de vous).
• Nouvelles lois anti-juives - restaurant ne les respecte pas.

Point B
• Léon Blum socialiste juif introduit les congés payés en 1936 - les gens de droite comme la mère de Julien le détestent.
• « On peut le pendre, celui-là ».
• La mère nie que l'un de leur famille est d'origine juive.
Un racisme banal - français traitent juifs de « youpins ».

Point C
• Des restrictions imposées dès 41.
• Juifs doivent porter l'étoile de David visiblement.
• Interdiction d'utiliser bains publics, d'aller au cinéma / théâtre.
• A la sortie des bains - lycéen remarque l'étoile d'un juif qui sort.
• « Quel culot celui-là » Semble être d'accord avec les lois anti-juives.

Ideas to contextualise question for the **introduction**. Saying what you are going to say. *On voit le pire et le meilleur des Français - racisme / collaboration vs. courage / résistance contre l'armée occupante - collaboration de la milice et par ceux qui profitent de la guerre dont les parents.*

Ideas for **conclusion.** Summing up of your opinions as expressed in the body of the essay with no new points. *Image très négative des Français - collaboration - peur des Allemands - grâce au père Jean et à ses collègues - on a moins honte du comportement des Français.*

Point D
• Milice/Gestapo reçoivent de nombreuses dénonciations - identité de juifs cachés, etc.
• Joseph après son renvoi dénonce les trois juifs cachés.
• Confronté par Julien - « ce ne sont que des juifs ».
• Ne sait pas quel avenir attend les juifs interpelés.

Point E
• Attitude des Allemands dans le film.
• Sans compromis - chasse à l'homme aidé par les collaborateurs.
• Soldat traite Jean comme s'il n'existe pas.

Point F
• Heureusement bon nombre de Français contre les lois anti-sémites.
• Rafles dans les grandes villes - certains juifs sont prévenus et évitent la capture.
• D'autres jeunes juifs sont cachés dans les internats - courage des professeurs - danger d'être envoyé dans un camp de concentration.

Keep your points separate, adding to them as new ideas come into your head. Only use brief note form to help you remember. For a 400 word essay you may well only want half a dozen points, each well illustrated with examples.

Use arrows between the points to show interrelationships - which points are logically connected. You can then organize the paragraphs in the same order. Use arrow from the Draw menu (shapes)

Introduction - Set the context of the essay, referring explicity to the title.
Say what you are going to say clearly. The content you use may refer to other works by the cineaste, to the historical period, the social setting - whatever seems to flow naturally into what you are going to write/have written.

Paragraphe 1 - First sentence should set the scene for the paragraph providing analysis of how it answers the question.
Following sentences should be consistent with the first sentence and offer illustration of the point made.

Paragraphe 2 - First sentence should lead on logically from previous paragraph saying whether it adds to the previous set of ideas or maybe contradicts them.

Paragraphe 3

Tip
Write on alternate lines then it is easier to edit your work in the exam.

Paragraphe 4 ++

Conclusion - It should summarise your findings, not adding new ideas but pulling together your analysis of the question.

Ideas should go from the less important finishing off with the most important in the final paragraph.

Notes

© linguascope http://www.linguascope.com